Preparémonos para la carrera

Susan Ring

Estos perros van a tirar de un trineo más de mil millas a través de Alaska. Van a participar en una carrera que se llama Iditarod.

La persona que maneja el trineo se llama *musher*.
La *musher* tiene que elegir ropa hecha de los
mejores materiales y llevar comida apropiada.

También tiene que asegurarse de que el trineo esté
hecho de los mejores materiales. Tiene que ser
ligero para deslizarse rápidamente sobre la nieve,
pero también debe ser muy fuerte y estable.

4

Por eso, el trineo está hecho de una madera que pesa poco, como la de fresno, de arce o de abedul.

5

La *musher* tiene que mantenerse abrigada. Por eso lleva varias capas de ropa. Esta chaqueta está rellena de plumón de ganso. Es muy abrigada, y a la vez ligera. El *nylon* de afuera mantiene el plumón seco.

Estos mitones se pueden ajustar en las muñecas. Esto evita que la nieve se meta en las mangas. El vellón del interior es abrigado.

Las botas tienen que ser impermeables y fuertes. El exterior es una capa gruesa de goma o plástico.

El interior es de vellón. Mantiene los pies tan calientes que a veces no es necesario llevar calcetines.

Los perros llevan unas botitas para proteger sus patas. Las botitas están hechas de un material que las protege de la nieve y que se seca rápido.

Los perros también llevan arneses. Están hechos de un material que es tan fuerte como el cuero pero más ligero.

Los perros tienen
que trabajar en
equipo para tirar
del trineo.

Los arneses están
acolchados para que
los perros no se
hagan daño en el
lomo cuando tiran.

Todos necesitan descansar en el camino.
Esta *musher* descansa en su trineo.

Pero los perros descansan en una cama hecha
de paja o ramas, que los mantiene cómodos
y calentitos.

Cuando paran para descansar, tienen que comer.
La comida está congelada en bolsas de plástico, que
son fáciles de llevar y mantienen la comida seca.

Con los materiales apropiados es más fácil cocinar. Simplemente se pone la bolsa de plástico con comida en el agua hirviendo.

15

Con los mejores materiales, la *musher* y su equipo
podrán ganar la carrera Iditerod. Lo único que
necesitan es un poco de suerte.